Le retour
des sorciers

hachette
JEUNESSE

Bloom

C'est moi, Bloom, qui te raconte les aventures des Winx. À l'université d'Alféa où j'ai été élève, j'ai découvert peu à peu ma véritable identité. Je suis la fille du roi et de la reine de la planète Domino, qui a été détruite par les Sorcières Ancestrales. C'est ma sœur aînée, la nymphe Daphnée, qui m'a sauvée. Elle a trouvé sur Terre des parents adoptifs aimants à qui me confier. Aujourd'hui, je possède le formidable pouvoir de la flamme du dragon. Alors je suis en première ligne pour défendre la dimension magique et ses différentes planètes. Heureusement que je peux compter sur mes amies fidèles et solidaires : les Winx !

Belle, mon mini-animal, est un agneau magique. Adorable, non ?

Kiko est mon lapin apprivoisé. Il n'a aucun pouvoir magique et pourtant, je l'adore.

Stella

Originaire de la planète Solaria, la fée de la lune et du soleil a une très grande confiance en elle. Un peu trop, parfois ! Heureusement qu'elle est aussi vive que drôle.

Ginger, son mini-animal, est un chiot magique.

Flora

Fée de la nature, douce et généreuse, elle est à l'écoute des plantes et elle sait leur parler. Cela nous sort de nombreux mauvais pas !

Coco, son mini-animal, est un chaton magique.

Tecna

Directe et droite, elle est d'une grande débrouillardise. Normal, elle est la fée des sciences et des inventions. Elle maîtrise toutes les technologies, auxquelles elle ajoute un zeste de magie.

Chicko, son mini-animal, est un poussin magique.

Musa

Orpheline, la fée de la musique est très sensible et pleine d'imagination. Face au danger, sa musique devient souvent une arme !

Pepe, son mini-animal, est un ourson magique.

Layla

Venue de la planète Andros, la fée des sports est particulièrement courageuse. Elle est très rapide et n'a vraiment peur de rien !

Milly, son mini-animal, est un lapin magique.

Roxy

Elle vit sur Terre. Nous ne la connaissons pas très bien, mais j'ai l'impression qu'elle a quelque chose de magique en elle…

Mme Faragonda

L'université des fées est dirigée par l'adorable Mme Faragonda.

Au royaume de Magix, un lieu hors du temps et de l'espace, la magie est quelque chose de normal. En plus d'Alféa, il y a la Fontaine Rouge, l'école des Spécialistes. Sans eux, la vie serait beaucoup moins intéressante…

Prince Sky

Droit et honnête, l'héritier du royaume d'Éraklyon sait mieux que personne recréer un esprit d'équipe chez les garçons. Son amour me donne confiance et m'aide à triompher des pires obstacles.

Brandon

Il est aussi charmant que dynamique et spontané. Pas étonnant que Stella craque pour lui.

Riven

Il apprend à maîtriser son impulsivité et son orgueil. Il voit beaucoup moins la vie en noir depuis que Musa s'intéresse à lui.

Timmy

Un jeune homme astucieux qui se passionne pour la technique.
Avec Tecna, forcément, ils se comprennent au quart de tour.

Hélia

Un artiste plein de sensibilité. Flora n'en revient pas, qu'un garçon pareil puisse exister.

Nabu

Il vient de la même planète que Layla, Andros. Ils ont eu du mal à se comprendre, au début, mais maintenant, ils sont inséparables.

Convoité par les forces du mal,
Magix est le lieu d'affrontements terribles.
Les quatre sorciers du Cercle Noir
menacent la Dimension Magique...
et la Terre !

Ogron

Il est le chef du Cercle Noir.
C'est un sorcier tout-puissant,
dangereux et cruel. Il hait les Winx.

Anagan

Ce prédateur ne rêve que de
pouvoirs et de richesse.

Duman

Il peut se transformer en animal féroce à n'importe quel moment.

Gantlos

C'est un chasseur de fée qui aime détruire tout ce qui l'entoure.

Résumé des épisodes précédents

En Amazonie, nous avons délivré les Spécialistes, prisonniers de Diana, la fée supérieure de la nature. Et nous l'avons sauvée des forestiers, avec l'aide des Indiens de la forêt ! Depuis, Diana a compris que les Terriens n'étaient pas tous des ennemis de la nature. Elle nous a promis de parler à la reine Morgana pour tenter de la convaincre de renoncer à sa vengeance...

Chapitre 1

Les regrets des sorciers

Notre mission en Amazonie est achevée. Nous nous apprêtons à repartir pour la Terre, lorsque d'étranges créatures apparaissent entre les arbres. Fines et élancées, elles sont vêtues d'une simple corolle de fleurs.

Nous reconnaissons les fées éthérées, celles qui nous ont offert le don de Sophix. Elles nous parlent l'une après l'autre :

— Vous avez fait bon usage de notre premier cadeau.

— Vous avez apaisé la soif de vengeance de Diana.

— Aujourd'hui, les Winx, nous vous offrons le pouvoir de Lovix.

Mes amies et moi sommes très honorées. C'est un signe de grande confiance.

— À quoi va-t-il nous servir ? demande Layla.

— Il vous donnera tout le courage nécessaire.

Nous nous regardons, très surprises. Ce n'est pas le courage qui nous manque, d'habitude. Mais les fées éthérées refusent de répondre à nos questions. Je commence à m'inquiéter. Notre prochaine mission serait-elle particulièrement dangereuse ?

Nous voilà de retour à Gardenia. Quelle joie de retrouver Roxy et nos animaux magiques ! Il paraît qu'ils n'ont pas été très sages en notre absence… Mais au moins, ils ont l'air en pleine forme.

Après notre délicate mission en Amazonie, nous avons bien mérité une soirée romantique, sur la plage, avec nos amoureux.

Le lendemain, nous joignons Mme Faragonda sur notre écran magique. Elle nous félicite chaleureusement. J'en profite pour l'interroger :

— Madame la directrice, pourquoi les fées éthérées nous ont-elles offert le pouvoir de Lovix ?

— Elles connaissent bien la reine Morgana, Bloom. Diana n'a aucune chance de la convaincre. Au contraire, la reine risque d'être furieuse. Et son désir de vengeance sera plus fort que jamais... Ce sera à vous d'agir, les Winx. Et j'ai confiance en vous. Vous réussirez.

En attendant, on dirait que nous avons droit à un peu de vacances. Le producteur Jason Queen nous propose de participer à un concours de musique au bar de la plage.

Le groupe le plus applaudi signera un contrat avec lui !

Nous répétons avec enthousiasme, aidés par Andy et ses amis. Nos amoureux nous encouragent. Et même Riven, par amour pour Musa, fait de son mieux pour contrôler sa jalousie.

Brusquement, quatre silhouettes familières surgissent entre les tables du bar : les sorciers du Cercle Noir ! Je croyais qu'ils avaient disparu pour toujours…

Roxy se met aussitôt en position de combat. Mais Ogron, le chef des sorciers, fait un signe de paix en levant les mains.

— Nous ne sommes pas venus pour nous battre. Le Cercle Blanc nous a retiré tous nos pouvoirs magiques. Nous sommes poursuivis par Morgana et les fées guerrières. Et nous sommes épuisés !

C'est vrai qu'ils semblent très fatigués. Duman, blessé, marche en s'appuyant sur l'épaule d'Anagan. J'interpelle Ogron :

— Qu'est-ce que vous nous voulez, alors ?

— Votre protection, Bloom. C'est vous qui avez libéré les fées de la Terre. Nous sommes prêts à vous confesser tous nos crimes. Mais, d'abord, il faut nous mettre en sécurité !

Ça, c'est une surprise ! Que faire ? Réfléchir de toute urgence dans un endroit tranquille, en tout cas !

Chapitre 2

La fée de la justice

Nous revenons dans notre appartement au-dessus du magasin. Pendant que les sorciers se reposent dans le canapé, mes amies et moi discutons à voix basse à l'autre bout de la pièce.

— Les sorciers du Cercle Noir sont nos ennemis, proteste Roxy.

— Tout le monde a le droit de changer, dit Musa.

Je l'approuve :

— Nous ne risquons plus grand-chose des sorciers. Les Terriens croient en nous, maintenant. Une énergie positive flotte partout à Gardenia.

Devant notre perplexité, Ogron se lève. Il tend vers nous le Cercle Noir des sorciers.

— Prenez-le. Nous n'en avons plus besoin. Nous ne sommes plus des chasseurs de fées.

Le grand Cercle Noir flotte devant mes yeux, attendant que je l'attrape. Il me fascine et me fait peur à la fois. Je connais ses terribles pouvoirs. J'hésite.

— À quoi peut-il nous servir, Ogron ?

— Donnez-le à Morgana de notre part, propose Anagan. Il lui prouvera que nous nous sommes rendus.

D'accord. Je tends la main et le Cercle se transforme en anneau. Il vient se glisser sur mon doigt, là où j'ai longtemps porté le Cercle Blanc.

— Est-ce qu'on peut vraiment juger les Sorciers ? chuchote Flora. Et leur pardonner pour tout le mal qu'ils ont fait aux fées de la Terre ?

— Cherchons conseil dans le Livre des fées, suggère Stella.

Bonne idée ! Comprenant

notre problème, le Livre des fées s'ouvre automatiquement à la page qui peut nous être utile. Celle-ci nous présente la fée de la Justice, Sybilla. Depuis que celle-ci a été libérée de Tir Nan Og, elle vit dans

la grotte d'une montagne, en Italie.

Ogron n'est pas content.

— C'est vous qui devez nous juger, pas Sybilla. Elle nous déteste, évidemment, comme toutes les fées de la Terre que nous avons retenues prisonnières.

— D'après le Livre, elle ne refuse jamais de recevoir ceux qui ont de bonnes intentions, répond Stella.

— C'est une fée très puissante

et très exigeante ! Elle a beaucoup souffert de sa captivité.

J'interviens :

— C'est vrai que ce ne sera pas facile d'obtenir le pardon de Sybilla. Mais nous vous soutiendrons.

Voilà la mission difficile dont parlaient les fées éthérées. Eh bien, maintenant que je connais mieux les fées de la Terre, je pense que les fées éthérées n'exagéraient pas !

Musa a l'air très inquiète.

— N'oublie pas le concours de musique, Bloom ! C'est ce soir. Nous ne pouvons pas le rater.

C'est trop important pour moi !

— Oui, je sais, nous serons revenues à temps.

Grâce à nos ailes Zoomix, nous arrivons en quelques minutes dans la montagne indiquée par le Livre. Les sorciers nous accompagnent.

En avançant dans les bois, nous apercevons des fées qui dansent dans une clairière. Elles ont une drôle de silhouette. Leurs jambes, qui ressemblent à des pattes, se terminent par des sabots. Elles sont pourtant gracieuses.

— Ce sont les fées rustiques, explique Ogron. Elles protègent la grotte de Sybilla.

Chapitre 3

Le pouvoir de Lovix

Les fées rustiques s'arrêtent de danser pour nous regarder. Elles ont des petites oreilles pointues et des cheveux tout gonflés. Stella les salue d'un signe de la main.

— Bonjour. Qui êtes-vous ?

Au lieu de répondre, elles s'enfuient et disparaissent.

— Elles sont mal élevées, remarque Stella.

À cet instant, un grondement nous fait lever la tête. D'énormes rochers sont en train de dévaler la montagne ! Ils visent les sorciers. Vite, nous les poussons de côté.

Juste à temps ! Et voilà un rocher supplémentaire, qui me vise moi. Je suis sauvée par Roxy. Mais je comprends l'avertissement. Les fées rustiques sont furieuses de nous voir prendre la défense des sorciers. Maintenant,

elles nous considèrent aussi comme leurs ennemies.

En revanche, les sorciers pensent à nous remercier. Incroyable ! On dirait qu'ils ont vraiment changé.

Nous grimpons dans la

montagne, jusqu'à l'entrée d'une grotte, à moitié cachée par d'énormes racines. Guidées par le Livre des fées, nous suivons un couloir qui descend lentement sous terre.

Plus loin, nous découvrons un lac souterrain. Une longue passerelle en pierre permet de le traverser. Mais l'eau en dessous est très agitée, comme si une tempête se préparait.

Je suis la première à monter sur la passerelle.

— Ne soyons pas effrayées, les Winx. N'oublions pas que nous possédons le pouvoir de Lovix.

Stella fait la moue.

— Je me demande si le pouvoir de prudence n'aurait pas été préférable.

Nous sommes au milieu de la passerelle lorsqu'une sorte de homard géant saute hors de l'eau. Ses coups de queue sont si puissants qu'ils font tomber les pierres !

Nous courons le plus vite possible nous mettre à l'abri sur l'autre rive. Mais le homard géant est aussi rapide que nous ! Et Layla va être rattrapée par la chute du pont !

Arrivée sur la terre ferme, je lui tends la main.

— Vas-y, Layla !

Avec beaucoup de courage, elle saute dans le vide. Je la rattrape de justesse. Elle se retrouve suspendue à ma main ! Mais je la tire vers moi de toutes mes forces.

— Merci, Bloom.

— J'ai été impressionnée par ton courage, Layla.

— Le pouvoir de Lovix m'a bien servi.

Un peu plus loin, nous sommes

arrêtées par une haute porte de pierre.

— On frappe ? Quelqu'un va nous ouvrir ? se moque Stella.

Mais Roxy tombe à genoux. En fait, elle a mauvaise mine depuis que les sorciers nous accompagnent. Qu'est-ce qui lui arrive?

— J'ai mal à la tête, gémit-elle.

Elle se relève pourtant avec courage, pendant que des fées guerrières foncent sur nous. Elles veulent surtout s'en prendre aux sorciers.

Heureusement, nous sommes plus puissantes qu'elles. Découragées, elles finissent par se disperser.

Pendant ce temps, la porte de pierre s'est ouverte sur le palais de Sybilla. Il s'agit d'une belle grotte sous-marine avec un trône de pierre.

Une voix nous invite à entrer.
Une charmante fée rousse appa-
raît alors, assise sur le trône.
Elle nous sourit. Moi qui croyais
que la fée de la justice aurait
l'air sévère, je me suis bien
trompée.

Nous nous inclinons devant elle, surprises de cet accueil amical.

— Pourquoi protégez-vous les sorciers? nous demande-t-elle.

Je lui réponds au nom de mes amies:

— Parce qu'ils nous l'ont demandé. Nous pensons qu'ils ont droit à votre justice.

— Vous avez raison. Aucune fée ne doit préférer la vengeance à la justice, même pas la reine Morgana. Je vais préparer le procès des sorciers du Cercle Noir. En attendant, ils vont rester ici, sous ma surveillance.

Aussitôt, les fées rustiques entourent les sorciers pour les conduire dans la prison de la grotte. Après avoir remercié Sybilla, nous nous dépêchons de repartir. La compétition de musique nous attend au bar de la plage !

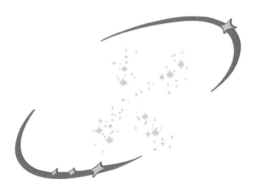

Chapitre 4

Ce que Bloom ne sait pas

Chaque fois qu'elle a mal à la tête, Roxy voit surgir l'image de Morgana, la reine des fées de la Terre.

— Roxy, répète Morgana d'une voix dure. Tu entraves ma mission en venant en aide aux sorciers.

— S'il vous plaît, Morgana, maîtrisez votre soif de vengeance.

— Non, Roxy. C'est à toi de rejoindre tes sœurs, les fées de la Terre.

— Je ne peux pas… Sybilla dit que même les sorciers ont droit à la justice.

— C'est une énorme erreur! Les sorciers ne regretteront jamais ce qu'ils ont fait!

— Les Winx sont mes amies…

— Elles vont être détruites. Tu seras la seule à survivre.

— Non… Non…

— Tu es importante pour

nous, Roxy. Plus que tu ne le penses.

Mais la fée des animaux refuse de trahir les Winx. Elle réussit à chasser Morgana de ses pensées.

La reine des fées est doublement mécontente : Diana ne veut plus se venger et, maintenant, Roxy lui résiste ! Sous la forme d'une image, elle va rendre visite à la fée du Nord, dans son palais de glace.

— Bonjour, Aurora. Tu sais que les Winx protègent les sorciers du Cercle Noir. Et Sybilla vient d'accepter de les juger. À cause d'elles, notre vengeance est impossible.

Aurora réfléchit à voix haute.

— Nous ne pouvons pas atta-
quer la grotte de Sybilla, qui est
un lieu sacré… Mais nous pouvons demander aux Winx de
nous ramener les sorciers en
menaçant les Terriens.

— Comment veux-tu faire?

— Je vais libérer l'Esprit de
glace. La planète Terre va deve-
nir un immense désert blanc…

L'image de Morgana ricane.

— Parfait! Pour sauver les
Terriens, les Winx seront obli-
gées de nous écouter.

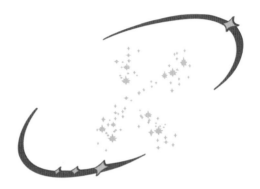

Chapitre 5

L'Esprit de glace

À notre retour au bar de la plage, nous découvrons les Spécialistes sur l'estrade, en train de chanter ! Pendant que Jason annonce au micro « les six filles des animaux magiques », Musa se précipite vers Riven. Elle est furieuse.

— Vous êtes jaloux de nos succès? Vous voulez nous voler la vedette?

Riven est très en colère à son tour.

— Ce n'est pas ce que tu crois!

Nabu s'interpose.

— Musa, il s'agissait juste de faire patienter le public. C'est Riven qui a eu cette idée. À vous de chanter, maintenant.

Comprenant qu'elle s'est trompée, Musa saute au cou de son amoureux:

— Pardonne-moi, Riven! Merci beaucoup d'avoir voulu nous aider.

Riven fait l'effort de ne pas rester fâché. Réconciliée avec lui, Musa est en pleine forme. Elle bondit sur l'estrade et, dès que nous sommes prêtes, elle lance notre première chanson.

Le public réagit au quart de

tour. Il nous encourage et, bientôt, chante avec nous. L'atmosphère est excellente, ce soir-là, au bar de la plage.

À la fin de la soirée, le public vote en applaudissant. C'est nous, les Winx, qu'il choisit ! Aussitôt, Jason Queen nous prépare un contrat avec sa maison de disques.

Quand je pense que nous n'avons utilisé aucun de nos pouvoirs magiques pour gagner !

Le lendemain, dans le parc de Gardenia, nous discutons avec nos amoureux d'un nom pour notre groupe de musiciens. «Les six filles des animaux magiques», ce n'est vraiment pas terrible! Mais Stella propose : «Les blondes atomiques». Est-ce que c'est mieux? Je ne le crois pas...

C'est curieux, il fait de plus en plus froid...

— Bonjour, les Winx.

Nous reconnaissons Nebula, la plus importante des fées guerrières. Elle vient nous transmettre un message de la part de Morgana. Si nous ne lui amenons pas les sorciers du Cercle Noir avant midi, la fée Aurora va permettre à la glace d'envahir la Terre. Nous, les Winx, nous pourrons toujours nous enfuir à Magix. Mais ce sera la fin des Terriens !

La décision n'est pas facile à prendre ! Impossible pour nous de participer à une action de vengeance… Alors, il ne nous reste plus qu'à combattre Aurora et l'Esprit de glace.

— J'ai le vertige, gémit Roxy.

Je devine qu'elle se sent mal d'affronter ses sœurs, les fées de la Terre. Je lui prends la main pour lui manifester mon amitié.

Tecna consulte son ordinateur magique.

— Où se trouve le palais d'Aurora? Ah, le voilà… Regardez, il s'agit d'un gigantesque iceberg volant. Il se promène au-dessus du pôle Nord.

— Allons-y, les Winx !

En chemin, nous sauvons l'équipage d'un navire attaqué par des monstres de glace. Le capitaine demande comment il peut nous remercier. Je lui réponds de croire encore long-temps en nous, les fées !

Chapitre 6

Sur l'iceberg volant

L'iceberg volant d'Aurora est enfin en vue. D'autres monstres de glace veulent nous empêcher d'atterrir. Mais Roxy demande aux ours polaires d'être nos alliés. Et ils acceptent. Les monstres de glace s'enfuient, terrorisés.

— Bravo, Roxy !

Une fois sur l'iceberg, Tecna consulte son ordinateur.

— Aurora est l'une des fées supérieures de la Terre. Cela signifie que toute son énergie magique provient d'un seul objet sacré.

— Comme la fleur sacrée de Diana, rappelle Flora.

— Exactement.

— Si nous découvrons l'objet sacré d'Aurora, celle-ci perdra ses pouvoirs !

Cette idée nous encourage. Nous trouvons une faille qui nous permet d'entrer dans l'iceberg. Mais nous nous retrouvons dans un labyrinthe de glace qui semble sans fin…

Pendant que nous marchons dans le labyrinthe, nous sommes régulièrement attaquées par des monstres de glace et des

fées guerrières. Nous nous défendons avec énergie. En même temps, nous tentons de trouver notre chemin. Allons-nous atteindre un jour le palais d'Aurora ?

Nous voilà dans une grande salle ronde creusée dans la glace. Mais nous sommes cernées par les monstres et les fées guerrières !

Pendant le combat, je remarque que Roxy ne semble plus avoir mal à la tête. Elle se montre particulièrement active et courageuse... C'est bizarre, on dirait que les fées guerrières évitent de s'en prendre à elle…

Roxy semble aussi savoir comment trouver le palais d'Aurora. Elle nous appelle :

— Associons nos pouvoirs, les Winx !

Nous prononçons les formules magiques en nous donnant la main. Et nous faisons fondre la glace du plafond.

Nous entrons alors dans la salle du trône de la fée Aurora !

— Bienvenue à vous, les Winx. On m'avait dit que vous étiez des fées exceptionnelles. Maintenant, je sais que c'est vrai.

Emmitouflée dans son manteau blanc, la belle fée nous présente la boule de neige magique qu'elle tient à la main.

— Cette boule possède assez d'énergie pour geler la Terre entière.

— Arrêtez cette folie ! s'exclame Flora.

Mais Aurora ricane… tandis que Roxy s'évanouit !

Vite, je m'agenouille à côté de mon amie. Hélas, mes pouvoirs de guérison semblent

impuissants face au pouvoir de l'Esprit de glace.

— Son corps se refroidit à toute vitesse ! Elle va mourir si nous n'arrêtons pas ce sortilège !

Aurora quitte la salle du trône en haussant les épaules. Mais une autre voix s'élève, celle de Nebula, la fée guerrière.

— Vous allez aider Morgana à se venger, n'est-ce pas, les Winx ?

— Nebula, il fait trop froid pour Roxy !

— Renoncez à protéger les sorciers, et Roxy sera sauvée.

— Que veux-tu de nous?

— Allez chercher les sorciers du Cercle Noir chez Sybilla et ramenez-les ici. À ce moment-là, nous délivrerons Roxy de l'Esprit de glace.

Je suis envahie d'une grande colère.

— Tu n'es pas une vraie guerrière, Nebula! Tu fais du chantage sur la santé de notre amie, au lieu de te battre contre nous. C'est de la lâcheté!

Nebula serre les poings, furieuse. J'insiste.

— Je suis sûre que Morgana n'a pas confiance en toi. Elle sait bien que tu n'es pas à la hauteur face à nous, les Winx.

Cette fois, Nebula ne réussit pas à se retenir. Elle lance un sortilège en ma direction. Je l'arrête d'une formule magique, ce qui l'exaspère encore plus. C'est justement ce que je voulais.

— J'ai une proposition à te faire, Nebula. Battons-nous en duel, toutes les deux. Si je gagne, tu nous libères. Si c'est toi qui gagnes, nous ramenons les sorciers.

Protégée par Morgana

Pendant que Nebula réfléchit, Stella s'approche de moi.

— J'espère que tu es sûre de toi, Bloom.

Je lui réponds à voix basse.

— Non, mais je suis mon instinct.

— Oh, alors, je suis rassurée, dit Stella avec humour.

Je sais que Nebula est la plus puissante des fées guerrières. Mais j'ai aussi de nombreux pouvoirs. Et je veux sauver mon amie sans céder au chantage de Morgana.

— D'accord pour le duel, dit Nebula.

Elle commence par nous enfermer dans une sorte de cube de glace.

— Il va vous protéger de la

température extérieure, nous explique-t-elle.

En effet, en quelques minutes, Roxy cesse de grelotter. Elle se met à respirer paisiblement. Quel soulagement !

Nebula ajoute en me regardant à travers la glace :

— Je reviens tout de suite. Un peu de patience, Bloom.

Elle quitte la salle en s'envolant par un trou dans le plafond.

Musa pose sa main sur le front de Roxy.

— Elle va beaucoup mieux. Je crois que Nebula va tenir parole.

— C'est vrai, dis-je, songeuse. Je pense que Roxy a beaucoup d'importance pour Morgana. Elle ne voulait sans doute pas qu'il lui arrive quelque chose de grave. Vous avez remarqué que les fées guerrières ne s'attaquaient jamais à elle ?

Tecna m'approuve.

— Je crois que Roxy s'en est aperçue, elle aussi. Et qu'elle s'en est servie pour nous protéger.

Stella s'énerve :

— Mais alors, ce refroidissement mortel, c'était juste pour nous faire peur ?

— Roxy se réveille ! s'écrie Flora.

Nous nous tournons vers notre amie qui se redresse, un peu fatiguée mais en bonne santé.

Un peu plus tard, notre cube de glace se met à glisser. Le mur s'ouvre et nous sortons de l'iceberg.

La reine Morgana nous attend de l'autre côté. Elle prononce une formule magique. Roxy est alors tirée du cube de glace. Les deux fées se retrouvent face à face.

— Bonjour, Roxy, dit Morgana. C'est moi qui ai ordonné aux fées guerrières de te préserver.

— J'avais compris. Je me suis servie de votre protection pour mieux me battre avec les Winx, dit fièrement Roxy.

Morgana sourit.

— Tu es une fée déterminée ! Exactement comme moi. Il est temps que tu quittes les Winx et que tu nous rejoignes.

Roxy serre les poings.

— Laissez tomber vos idées de vengeance, Morgana.

— Je ne peux pas. Il ne s'agit pas d'une question personnelle.

Mais les fées ont terriblement souffert. Les Terriens et les sorciers doivent payer pour ça. Tu comprends?

Roxy se souvient de ce que les fées de la Terre ont enduré. Et aussi de sa propre solitude, quand elle était la dernière fée de la Terre. Les larmes lui montent aux yeux. Mais ce souvenir ne la fait pas changer d'avis.

En la regardant, Morgana semble s'adoucir.

— Ne te laisse pas influencer, Morgana ! s'écrie Nebula. N'oublie pas que tu es notre reine !

— Justement, notre reine mérite du respect, intervient Aurora.

— Personne ne me manque de respect, dit Morgana avec dignité.

— Assez parlé ! s'exclame Nebula. Il est temps de nous battre en duel, Bloom et moi.

En jeu, c'est maintenant la libé-
ration des Winx, ou bien celle
des sorciers !

Je m'avance hors du bloc de
glace qui s'est magiquement
ouvert devant moi.

— Je suis prête, Nebula.

Chapitre 8

Un duel terrible

Tout de suite, je suis touchée par une tempête électrique lancée par Nebula. Mais je récupère vite et j'attaque à mon tour, encouragée par mes amies.

Plusieurs fois, nous réussissons à nous atteindre. Nous

sommes très puissantes et très habiles, Nebula autant que moi.

Lorsque nous reprenons notre souffle, elle me lance :

— Tu ne sais pas ce que c'est que de vivre des années en prison ! Je déteste les Terriens ! Ils avaient cessé de croire en nous, ce qui nous a fait perdre une partie de notre pouvoir.

Je comprends sa souffrance. Mais jamais la vengeance n'a guéri aucune blessure. Au contraire, elle ne fait qu'entretenir le malheur.

Le combat reprend de plus belle. À un moment, Nebula chancelle. Et elle s'effondre. Je m'approche d'elle pour la secourir, mais il s'agissait d'une tromperie.

Elle lance sur moi des

poignards de glace, que je réussis à arrêter avec mon bouclier de glace.

Notre combat est si terrible que nous finissons par utiliser même le feu du dragon. Pourtant, l'iceberg volant d'Aurora ne supporte pas la chaleur ! Il commence à s'effriter...

Aurora s'affole.

— Contrôle ta fée guerrière, Morgana !

La reine ne lui répond pas. Un énorme morceau de glace se détache alors de l'iceberg et tombe vers la Terre.

— Juste en dessous de nous, c'est Gardenia, ricane Nebula.

Le morceau de glace est déjà trop bas pour que je le rattrape. Est-ce qu'il va s'écraser sur la ville ? Non, car je lance sur lui une flamme de feu…

Le bloc de glace se transforme en vapeur d'eau.

— Hourra! crient mes amies, toujours prisonnières de leur cube.

Nebula, au contraire, est folle de rage. Soudain, après tous ces efforts, elle n'a plus la force de se mettre debout. Cela signifie que j'ai gagné notre duel.

Mais je suis épuisée, moi aussi! J'ai vraiment mis toute mon énergie dans ce combat. Et je sombre à moitié dans le brouillard.

J'entends Nebula contester sa défaite. Au contraire, Morgana affirme qu'elle va respecter notre marché. Les Winx sont donc libérées de leur cube de glace.

Pendant que je reprends peu à peu des forces, entourée par mes amies, Roxy s'adresse à

Morgana. Elle ne lui parle plus avec colère, mais avec un immense espoir :

— S'il vous plaît, renoncez à votre vengeance.

La reine des fées lui sourit de nouveau.

— D'accord, Roxy. J'y renonce parce que c'est toi qui me le demandes.

Nebula explose de colère :

— Quoi ? Vous êtes folle ? Je veux une explication !

— Tais-toi, Nebula. Tu n'as

pas le droit de parler ainsi à notre reine ! lui dit Aurora avec autorité.

La reine Morgana se tourne vers moi.

— Comme tu l'as souhaité, Bloom, les sorciers du Cercle Noir seront donc jugés par la fée Sybilla.

Je lui montre l'anneau que je porte à mon doigt.

— Et le Cercle Noir ? Voulez-vous le récupérer ?

— Bien sûr. Mais il faut que les sorciers me le donnent eux-mêmes. Comme preuve de leur bonne volonté.

— Ces conditions me conviennent très bien. Merci, Morgana.

— Au revoir, Bloom.

Avant de quitter l'iceberg, la reine des fées se tourne vers Roxy.

— À très bientôt, lui dit-elle.

Il y a beaucoup de tendresse dans sa voix. Je suis intriguée. Qui est Roxy pour Morgana ? Seulement la dernière fée de la Terre à avoir échappé aux sorciers, ou bien…

Je devine que j'aurai bientôt la réponse. Mais j'ai beaucoup d'autres soucis. Nebula va-t-elle accepter la décision de sa reine ? Les sorciers sont-ils sincères dans leurs regrets ? La Terre est-elle vraiment sauvée ?

FIN

Retrouve bientôt la suite
des aventures des Winx !

LA BIBLIOTHÈQUE rose

Le secret de Morgana

**44. Le secret
de Morgana**

Dans le Winx Club 44 :
Le secret de Morgana

Tandis que les Winx reçoivent
le dernier cadeau de la Destinée,
le procès des sorciers du
Cercle Noir a commencé. À l'aide
des pouvoirs du Bien, les fées
vont devoir résister aux forces
du Mal…

Pour connaître la date de parution de ce tome,
inscris-toi vite à la newsletter du site :
www.bibliotheque-rose.com

Tu connais tous les secrets des Winx ?

Retrouve toutes les histoires de tes fées préférées dans les livres précédents…

Saison 1

1. Les pouvoirs de Bloom

2. Bienvenue à Magix

3. L'université des fées

4. La voix de la nature

5. La Tour Nuage

6. Le rallye de la rose

Saison 2

7. Les mini-fées

8. Le mariage de Brandon

9. L'étrange Avalon

10. À la poursuite du Codex

11. Sur la planète du prince Sky

12. Que la fête continue !

13. Alliance impossible

14. Le village des mini-fées

15. Le pouvoir du Charmix

16. Le royaume de Darkar

Saison 3

17. La marque de Valtor

18. Le Miroir de Vérité

19. La poussière de fée

20. L'arbre enchanté

21. Le sacrifice de Tecna

22. L'île aux dragons

23. Le mystère Ophir

24. La fiancée de Sky

25. Le prince ensorcelé

26. Le destin de Layla

27. Les trois sorcières

28. La magie noire

29. Le combat final

Saison 4

30. Les chasseurs de fées

31. Le secret des mini-fées

32. Les animaux magiques

33. Une fée en danger

34. Le pouvoir du Believix

35. La magie du Cercle Blanc

36. La vengeance de Nebula

37. Le rêve de Musa

38. Les pouvoirs de Roxy

39. Une nouvelle mission

40. Le royaume des fées

41. L'île mystérieuse

42. La vengeance de la nature

Les aventures les plus magiques des Winx dans trois compilations !

6 histoires magiques de la saison 1

6 histoires féeriques de la saison 2

6 histoires incroyables de la saison 3

Le hors-série Winx Club avec le roman du film, des jeux et des tests Le Secret du Royaume Perdu

Le roman du film Le Secret du Royaume Perdu

Le roman du film 2 L'Aventure Magique

Le roman du spectacle Winx on Ice

Table

« Pour l'éditeur, le principe est d'utiliser des papiers composés de fibres naturelles, renouvelables, recyclables et fabriquées à partir de bois issus de forêts qui adoptent un système d'aménagement durable. En outre, l'éditeur attend de ses fournisseurs de papier qu'ils s'inscrivent dans une démarche de certification environnementale reconnue. »

Composition **PCA** – 44400 Rezé

Imprimé en Roumanie par G. Canale & C. S.A.
Dépôt légal : mai 2012
Achevé d'imprimer : mai 2012
20.20.2573.2/01– ISBN 978-2-01-202573-8
Loi n°49-956 du 16 juillet 1949
sur les publications destinées à la jeunesse